샤덴프로이데

샤덴프로이데

발　행 | 2024년 08월 08일
저　자 | 하연
펴낸이 | 한건희
펴낸곳 | 주식회사 부크크
출판사등록 | 2014.07.15.(제2014-16호)
주　소 | 서울특별시 금천구 가산디지털1로 119 SK트윈타
워 A동 305호
전　화 | 1670-8316
이메일 | info@bookk.co.kr

ISBN | 979-11-419-5324-9

샤덴프로이데

하연

CONTENTS

결국 신조차도 우리의 출혈을 지혈하지 못했다
우리는 서로에게만 유익하고 유해해
우리가 한 건 아무도 몰랐으면 해

우리는 서로의 불행이 될 거야

.모든 사랑을 죄인 취급하면 잡히지 않는 그들의 애정
은 어느 교수대에 처형해야 하나요

도망자의 삶은 험난하고 지독하다
방황하는 발걸음은 종착지를 찾지 못한 채
웅덩이만 맴돌고
단순한 나열로 만들어 보낸 발신인 불명의 편지는
되받지 못한 채 유리병 편지로 전락한다

멈춰버린 심장에서 호박 향기가 흐르고
중단된 골수에서는 종소리가 들린다

움켜쥐면 부스러지는 폐가
가장 궁금했던 것의 행방을 알려 준다

열린 결말을 바랐으나

무고한 출혈이었다
삿된 것들로부터 일궈낸 혈색
수심을 알 수 없는 곳에서는 퐁당퐁당 소리가 들렸다

소원을 빌기 위해 동전을 던지는 산악꾼들이었다
분수대 하나 없는 휑한 곳에 동전이 쌓였다
어느 곳에 던져야 소원이 이루어지는지 아무도 모르
지만
녹슨 것들은 차츰 태산을 만들었다

부러진 발목은 어긋난 채 자리를 잡았고
여전히 동전은 쌓여갔다
푸른색인지 청록색인지 알 수 없는 혈관은
어느 부분에서부터 끊겨 있었다

드문드문 그어진 날짜 표기가 끊어졌다

울고 웃었던 모든 찰나는 우리만 알았으면 해

나의 부러진 손톱을 잘근잘근 씹던 너의 모습도
너의 끊어진 머리카락을 가득 모아 꿀꺽 삼키던 나의
모습도
우리만 조용히 간직하는 걸로 하는 거야

아무도 모르게 우리는 나눴던 거야
누구도 알아채지 못하게
우리는 우리를 한 거야

짤막한 손톱과 끊어진 머리카락이 명치에 헛도는 걸
알고 있지만
두세 번 심호흡과 헛기침을 통해 아무렇지 않은 척해
야 해
그래야 우리의 가난했고 핍박받았던 모든 게 들키지
않아

그렇게 해야 다시는 우리 같지 않을 수 있어

병든 파란색을 뱉으라고 하더군요

반쯤 베어 물어 아릿한 맛을 느낀 건 오래인데 이제
야 뱉으라니

손으로 구석구석 췌장까지 뒤져봤지만 이미 파란색은
찾을 수가 없었어요

아쉽지만 변색되어 버린 것이라도 가져가세요

온전한 것이 아니면 필요 없다니요

그저 색만 바랬을 뿐 분명 병들었던 파란색보다 온전
할 거예요

그걸 그렇게 집어던지시면 어떡합니까

저 밑 쓸개에 숨어 있던 걸 어렵게 꺼낸 건데

아무럼 됐습니다

누군가는 찾아가지 않겠나요

누군가는

바랜 것도 병든 것도

가져가지 않겠나요….

비통한 콧노래가 장송곡이 되었다

언제였지, 희는 휘파람을 불지 못하는 나에게 귓가에
대고 노래해 줬다. 희는 기억나지만, 희와의 계절이 기
억나지 않는다.

허허벌판 망망대해에 서 있지만 그림자는 잠겨 녹아
버렸기 때문에 한치의 계절감을 알 수가 없다.

희의 바람 소리 가득한 휘파람 노래는 구름을 만들어
떠올렸다.

뭉그렇게 모이다가 흩어졌다.

그날 밤 꿈에서는 희가 나왔다.

허리춤까지 차 있던 갈대와 해수면은 희의 어깨까지
자라났다.

손날을 이용해 헤엄쳐 갈수록 희는 뒷걸음질 쳤다.

초대됐던 무도회에서 가면을 쓰지 않은 건 나와 희뿐
이었다.

공작새와 극락조들 틈새에서 밋밋한 백색의 인물만이
담겼다.

반사되는 동공이 보이지 않았지만 알 수 있었다.

희의 시야는 좁았다.

좁은 시야에 미처 주변을 살피지 못했고 그걸 알고 있었음에도 모든 걸 지켜보고 있던 나는 아무런 말도 행동도 취하지 않았다.

희는 여러모로 나를 자극하는 사람이기 때문에.

그 또한 나의 콤플렉스를 승화시키기 위함이었으리라.

정신이 들었을 때 아무런 소리도 들리지 않았다.

무도회의 떨어진 가면도 뜯어진 보물도 보이지 않았다.

가득했던 음악의 소리도.

희도.

휘파람 소리가 언제부터 들리지 않았던가.

흥얼거렸다.

기억나지 않는 희의 휘파람 소리를.

흥얼흥얼.

다들 청춘을 찾아

푸른 청춘을 바라보며 한여름 태양 아래로 뛰어 들어
가
뻘뻘 흘리며 하는 것도 사랑이래
울며 죽는 것도 청춘이래
그럴싸한 포장이라고 생각해
괴로운 마음에 청춘을 얹으면 애틋하게 느껴지고
물살처럼 휩쓸리는 충동에 청춘을 얹으면 감성적으로
느껴지니까
비틀대는 초보운전의 너덜거리는 노란 딱지처럼
만능의 단어일 수가 없어

청춘의 시기가 적용되는 건
푸른색과 녹색을 구분할 수 있을 때까지일까
바다를 보며 숲을 그리고 숲을 보며 바다를 그리던
그때처럼 말이야
어디로 향해야 할지 알 수 없어서
숲속의 바다를 찾자며 말도 안 되는 얘기를 던지는
그때처럼

가끔은 뒷산에서 듣는 빗소리가 파도 소리처럼 들려

아직 우리는 청춘일까

부딪히던 약지끼리 고리를 걸고 미완의 약속을 뱉었
을 때
  귓가 어딘가에서는 이미 듣고 있었다
  너무 무겁지 않니

  나란히 어깨를 맞대고 수성못을 바라보며 미래를 읊
었을 때
- 우리 집은 작아도 되지
- 응, 아무래도 우리는 둘만 있으면 충분하니까

  무너져 가는 작은 책방에서 서로의 얼굴을 바라보고
웃었을 때
- 내 옆집에 살아
- 왜?
- 서로 구역 침범은 안 하면서 생사 확인은 할 수 있게
- 네가 원한다면, 그럴까 그럼

  주인 없는 작은 골방에서는 알싸한 향만 남아 있다
  어디에서도 누군가의 온기를 느낄 수 없고
  출처 없이 토막 난 흑장미의 꽃뭉치는 말라비틀어져
해안가의 모래처럼 느껴진다
  바삭 바사삭 밟히는 것들을 교향곡 삼는다

클래식을 즐겨듣던 누군가를 위해

나만 그려낼 수 있는 너의 모습을 좋아해
나만 아는 습관과 나만 볼 수 있는 그 표정을
텁텁해지지 않는 무가당의 디저트

나른하게 입속에 몇 번 굴리고 굴려도 같은 향기로
남아

아무도 너를 몰랐으면 하는 마음과 동시에
모두가 너를 알았으면 하는 마음이 공존해

내려치는 파도는 너의 것
파도를 내치는 건 나의 것

스케치북에 그려진 웃음
초상화

나만 알고 있는
나만 알고 싶은

미지의 것을 가득 담은 너는
영원한 미제가 되지 않았을까

나의 세상은 너였기 때문에
비망록의 원천도 너일 수밖에

먼 곳으로 나아가자 속삭여 주던 우리는
서로에게서 가장 먼 곳으로

그루터기에 더는 나이테가 생기지 않는다
마지막 잎새는 그저께 떨어졌고
베어먼 아저씨는 살아 돌아왔다
새끼 고양이 네 마리 중 세 마리는 검은색이었고 한
마리는 흰색이었다

조는 신문 뭉텅이를 모조리 불태워 버렸다
베스는 가벼운 몸을 이끌고 우체통을 뽑아버렸다
자라지 않는 나무의 뿌리는 매직으로 칠해져 있었다

제인이 팔을 자르던 사이 로체스터는 성에서 뛰어내
리고 있었다
로빈슨크루소는 집에 돌아가지 못했다

포그는 또다시 늦잠을 잤다

우리가 나눈 것이 확산한 애정의 포말이라면
끊임없이 생성되었던 것은 누구의 덕이었던가

자라나지 않았다면 더 달콤하지 않았을까 싶은 그루
터기의 숨결이 자꾸만 몽상가를 태어나게 만들었다

　아무도 그들을 거두어 기르지 않았으나
　서로의 손톱을 갉아 먹으며 자랐으니
　얻어 본 적도
　잃을 것도 없는
　막연한 몽상가들에게 두려움은 없었다

한철 지나간 너의 숨결을 삼도천에서 건져 와 마셨다
한숨에 담긴 2인분의 생명이 조금 더 혈압을 높였다
내려앉는 마음에 가라앉는 감정이 싹을 틔우고

부스러진 물뿌리개로 조금씩 새순을 바랐으나
결국 만개하지 못했다

남들은 사계절을 살고 있다

어쩌면 너로 인해 물든 잘못된 습관이 아닐까
　분명 홀로 서는 것도 타인의 힘 없이 당당해지는 법
도 잘 알고 있었는데
　허우적거리는 나에게 냉큼 손을 내민 너 때문에
　그래서 내가 나약해진 게 아닐까

　습관적으로 남 탓을 해
　더없이 사랑했던 너도 예외는 없어
　나를 살려야 하기 때문에

　그 과정에 소비되었을 뿐이야
　그런데 보통 소비하는 자가 이렇게 외롭고 괴롭던가?

　외롭고
　괴롭던가?

비단 손목을 엮어 읊조리던 그 음악조차도 운명이 아
니었을 뿐

곧잘 무너지는 단조에 올바르지 못한 음계만 쏟아졌
다
그 누구도 살리지 못하는

모차르트의 환생을 믿는가?

불안정에서 안정을 얻어

새어 나오는 헤픈 웃음보다 울컥 쏟아져 나오는 눈물
에 위로받고

성공하지 못하는 과정에서 안도를 얻어

거꾸로 흐르는 무너짐에 다시 한번 안정감을 수확하
고

그렇게 부족함으로써 누군가가 나를 구제해 주지 않
을까 싶은 희망 고문에 휘말려

나에게 자의도 타의도 순위에 나열되지 않는다면

나는 무엇으로 살아가고 있는 것인가

우리 너무 괴롭지 않니
막중한 임무를 해내려는 전사들처럼
과하게 쏟아지는 자학이
너무나도 괴롭지 않니

이유 없이 굳어버린 저 메두사를 봐
거울을 본 건지
친구를 본 건지
연인을 본 건지

행복했을까
끝난 것들은 행복할까

무너지는 모래성을 50번째 다시 지었을 때
남몰래 소원을 빌었다
이것이 쓰러질 때
함께 쓰러지길 바란다고

구석으로 내몰린 채 매타작을 합니다
스스로 내몬다고 해서
고통을 못 느끼는 건 아닐 텐데
그렇게 해야만 안정됨을 알기에

누군가는 모든 걸 버리고 사랑을 택하고
누군가는 모든 걸 버리면서까지 사랑을 내친다

사랑에 맹목적일 수 있는가
맹목적으로 사랑할 수 있는가

과연 그게 사랑이 맞는가
우정의 산물이 사랑으로 변질된 것이 아닌가
사랑의 전환점이 끓는점처럼 정해져 있던가

나는 아직도 그곳에 멈춰 있다
가난한 사랑을 조각조각 이어 붙이던 그곳에
미지근한 토마토를 함께 베어 물던 그곳에

무릇 언제쯤 다 떨어지려나 싶었던 꽃들이 모두 자연
의 섭리로 흩어지고
그걸 뒤늦게 알아챘을 때 몰려오는 서먹함이란
계절의 거리를 거부하는 것처럼 느껴진다

손결을 타던 모습을 사랑했다
손 틈을 벗어나 흩어지던 머리카락이나
아쉬움을 가득 담아 잡은 옷자락
울고 싶을 때 꼭 깨물던 입술
행복할 때 접히는 눈을 숨기기 위해 애써 부릅뜨던
그런 습관을 사랑했다

나만 알 수 있는 모습들이었기에

아무도 희를 찾지 않았다
어쩌면 사라진 것조차 아무도 몰랐을 것이다

희는 밝고 명랑했다
가장 먼저 친구들의 생일을 자정에 축하해 주거나
장거리의 우정도 서슴없이 사랑해 주며 찾아가는
정이 많고 단순한 아이였다

희는 항상 서른 살이 되면 사라질 거라고 말했다
늘 입꼬리는 호선을 그리고 있었던 희는
서른 살의 엔딩을 예고하는 순간에도 마찬가지였다

아무도 희의 서른을 믿지 않았다
서른 번째의 희의 생일을 맞이했을 때

모두에게서 희는 사라졌다

아무도 믿지 않았다

사과나무의 꽃을 떼어다가 달여 먹으면 사랑이 이루
어진다고 믿었다

가장 사랑하는 사람이 나를 외면할 때
매일 밤 몰래 마당으로 나가 사과나무에 물을 줬다

꽃이 피어나기를 바라며
옆집의 개똥을 주워다 뿌렸다

어느 날에는 수목원 체험학습을 갔다가
나무마다 꽂혀 있는 초록색 약물을 몰래 훔쳐 사과나
무에 꽂아줬다

같은 사계절을 보냈는데
아무것도 피어나지 않았다

뒷모습을 그만 보고 싶었다
차가운 시선이라도 원했다
손찌검이라도 괜찮았다
닿을 수만 있다면

아무도 나에게 뿌리가 썩은 사과나무라고 알려 주지

앉았고

이번 현장 체험학습은 취소됐다

우리의 생명선은 짧다고 생각했다
남들이 손금으로 생명선을 볼 때
반토막 나 버린 내 손바닥을 들키고 싶지 않아
팔을 잘라 버렸다
두 팔을 없앤 채 허기를 느끼지도 못하는 나를 보며
너는 너의 팔 하나를 건넸다

거뭇한 몸통 사이 어색하게 붙어 있는 하얀 팔이 이
질적으로 밟혔다
심심할 때마다 하얀 팔에 붉은 낙서를 했다
그림을 그리는 족족 검붉은 빛으로 자리 잡는 모습이
퍽 아름다웠다

손바닥은 보지 않았다
나의 숨결을 확인하는 희멀건 손바닥이 코앞으로 다
가와도 눈을 질끈 감았다
우리는 이제 같은 생명선을 갖고 있는데도

너의 오른팔이 왼팔보다 조금이라도 긴 손금을 갖고
있다면 둘 중에 누가 먼저 사라지게 되는 것일까 봐

밤마다 함께 종이학을 열 마리씩 접었다

너의 계절이 점차 범위를 넓히고 있다

열대야 속 더위를 타지 않는 너는 바닷속 한 마리의
열대어

녹아내리는 몸에 300원짜리 아이스크림을 가득 붙이
면

너는 서늘한 몸으로 다가와 숨을 불어넣었다

목에 둘러싸이는 양손은 뒤늦게 피어난 장미향이 났
다

무화과와 장미

붉은 것들이 한데 모여진 채 더위를 흡수하는 너는

나에게만 보였던 걸까

옆집 사는 은이를 다시 만났어
내년에 결혼할 거라고
손에 쥐어주는 순백색 청첩장이 그렇게 부러울 수가

「사랑하는 우리의 결혼을 축하해 주세요.」
희야, 사랑이래

서로의 손을 맞잡고 커플링을 맞추며 행복하게 웃고
세상에서 가장 낭만적인 프러포즈를 받는 게 사랑이래

결혼식장을 돌아다니고 미래를 그리며 오순도순 살아
가고 늙어가는 얼굴을 그리는 게 사랑이래

이게 사랑이라면, 우리가 한 건 뭐였을까

반대로 우리가 사랑이었다면,
이들이 하는 건 뭘까

왜 우리는 과거에 머물러 있고
이들은 미래를 적어가는 걸까

혀 한쪽을 깨물고 너를 바라본다
비릿한 맛이 맴돌면
그제야 포개어진다

봐, 너는 또 나에게 지고 말잖아

어쩌면 너랑 나는 사랑이 아니었을지도 모른다는 생
각
그마저도 우리의 착각이 아니었을까 하는 생각
우정을 사랑이라고 착각하고
사랑을 우정이라고 착각한다는데
우리는 착각의 착각을 거쳐
모든 게 틀어진 거라면

관계에 이름을 붙이지 않았으면 더 영원했을 거라는
미련이 아직도 사라지지 않아

미화되던 기억도 굳어버린 채 목소리는 사라졌다

어느 순간 눈이 떠지지 않을지도 몰라
내가 예고할 틈이 없을지도 몰라
준비할 시간도 없으면 어떡해
완벽한 죽음이 없을 수도 있어
눈에서 흐르는 게 더 이상 눈물이 아닐지도 몰라

살고 싶다가도 누군가는 나를 죽음으로 내몬다
버려진 세상에 천애 고아가 된 기분이다
나 자신마저 나를 의심하게 될 때의 그 기분은
외로움을 넘어서 괴로움까지 병합한다

기도를 잘라내 버리고 싶다

심장을 잠시 꺼내 차분해질 때 다시 넣고 싶다

이상한 감각들이 몸을 휘감고 진정되지 않는다

모든 것으로부터 조용히 자유로워지고 싶다는 생각이
끊이지 않는다

자유

자유

자

유

여름의 습기가 숨을 막히게 만들 때마다 푹 들어가던
보조개가 생각나

여름이니까
습하고 끈적한 만큼
습기의 사랑을 하는 계절이니까
녹음 가득한 진흙탕에 한 번 발을 담그면
꺼내는 데 한참이 걸렸다

한 걸음만 내디디면 되는데
손을 잡고 있던 것마저 놓쳤으니까
놓친 건지
놓은 건지
돌아오지 않을 걸 알면서
아무것도 버리지 못한 채

싸구려 목숨을 포장지에 감싸고
너는 마치 심장이 두 개인 것처럼 행동해
들숨 날숨을 완벽하게 소화해 내는
그 모습마저도 하나의 황홀경이 된다는 걸

너는 알아?
녹지 않는 포화상태의 분말 가루가 뭐였는지

우리의 형태는 아무런 확신도 없었어

반창고가 너덜거리고 아물지 않은 상처는 곪았다
예수는 33살까지 살았다고 하던데

예수마저도 33살까지 살았다고 하던데

필요한 자들에게만 찾아오지 않는다
불필요한 자들에게만 빠르게

... --- ...

빗금 가득했던 손목에 나열했던 박자가 뭘 말하고 싶
었던 건지 나는 알아

.-.. --- ...-. .
 -- .
 .--. .-.. --..

입을 맞출 때마다 움츠러드는 어깨를 잡으면 손톱으
로 두드리던 말도 알고 있어

석류를 두 알씩 먹이면 점점 목소리가 사라졌다
구사할 수 있는 단어는 줄어들었고
손짓이 늘어났다

그런 너를 거둘 수 있는 건 나밖에 없을 거라고
그렇게 믿고 있었다

머리카락을 잘라 녹였다
손톱을 으깨 태웠고
왼손 약지의 손가락에서 네 방울 정도의 핏방울을 훔
쳤다

마리아에게 보여 줬다
어머니
어머니

마리아의 응답을 기다리며
코코넛 향이 나는 머리카락을 삼키고
분 같은 손톱을 몸에 발랐다
혈흔을 입술에 바른 채
다시 마리아를 바라본다

마리아
어머니
어머니

돌아오지 않는다
빌어도 오지 않는다

결국은 너도, 나도 잊혀 버린

그때의 계절에 갇힌 채

부서지는 파도의 개수를 세고

돌아오지 않는 나를 그리며

너는 우두커니 썩어가는 몸을 띄우겠지

몇 번을 난파됐는지 가늠조차 되지 않고

헤엄칠 수 없는 너는

그렇게 바라던 심해 속으로

그리고 나는

사라져 버린

너의 무인도

샤덴프로이데

윤희는 죽었고 은희는 사라졌다. 연희는 반만 남았고 진희는 도망쳤다. 경희는 걸렸고 미희와 주희는 일그러졌으며, 나의 모든 희는 낙오됐다.

포물선이 내려올 생각을 하지 않았다.

여름의 습기가 온몸을 감싸고 우편함에는 뜯지 않은 편지가 가득 쌓일 때, 한참을 조용했던 휴대전화에 요란한 진동이 울렸다.

희의 부고 문자였다.

장례식에 가서 영정사진을 마주하고 상주에게 인사를 하는 동안에도 어떤 희인지는 기억나지 않았다. 수없이 많은 희가 나를 거쳐 갔으며, 희는 모두 나를 사랑했다. 나 또한 희를 사랑했고, 모든 희는 인식되지 않는 바코드를 늘 지우지 못했다. 죽어 버린 희의 어깻죽지에 물들어 있던 동백꽃의 칼날이 영정사진에서는 보이지 않았다.

그래, 아마도 마지막 희일 것이다─ 생각했다. 유독 거짓말을 할 줄 몰랐던 희였기 때문에, 그녀는 반드시 이룰 것이라고 마지막까지 생각했었다.

희는, 그러니까 죽어 버린 나의 마지막 희, 그녀는 여름을 싫어하면서 여름 바다를 좋아했고, 겨울을 좋아하면서 추위를 싫어하던 사람이었다.

내가 사랑했던 점을 모두 모아놨으며 동시에, 불안정을 전부 떠안은 가장 불완전한 존재이기도 했다.

"죽여줘."

　늘 마지막을 내뱉으며 거짓말처럼 모든 궁지에 몰린 그녀를 볼 때마다 드라이브를 가자고 했다. 눈물자국을 지울 틈도 없이 도망치듯 나온 희를 손에 가두고 춘장대로 향했다. 우리가 좋아하던 동해와는 정반대인 뻘밭의 서해였으며, 엎친 데 덮친 격 썰물이었다.

"동해가 아니라서 미안."

　희는 말없이 꿈틀거리는 낙지와 구멍을 뚫어둔 맛조개를 보며 짠맛이 나는 바람을 삼켰다. 희의 손에는 날카로운 조개가 들려 있었다. 앙상한 주먹에 점점 붉게 몰드는 조개를 보며 희의 긴 머리카락을 손에 쥐고 입을 맞췄다. 희의 손에 손을 맞대고 손깍지를 끼우며 조개를 훔쳤다.

　우리의 첫 키스였다.

"오늘도 죽고 싶었어?"

"응."

"왜 죽고 싶어?"

"세상에 버려진 기분 느껴본 적 있어?"

종종 희는 세상에 버려졌다고 했다.

"모든 게 공허한 기분이야. 다들 특별한 것처럼 살아가는데, 나는 그 어떤 것도 특별하지 않아."

희의 손아귀에는 점점 힘이 들어갔다.

"더 공허한 건, 모두가 나를 경멸하고 능멸한다고 생각하지만, 결국은 내가 모두를 그렇게 보기 때문에 나자신도 그렇게 보는 거야."

-이런 세상에서 너는 살아갈 수 있겠어?-

그 말을 끝으로 희는 손에서 힘을 풀었다.

그 손을 그대로 놓아 버리면 희가 사라져 버릴 것 같았다. 조심스레 희의 얇은 새끼손가락을 잡아 세웠다.

"같이 죽자."

"너 그 말이 나한테 어떤 의미인지 알아?"

그때 희가 어떤 표정을 짓고 있었더라. 웃었던가, 울었던가. 아니, 표정을 짓고 있긴 했던가. 그리고 동시에 나는 어떤 마음으로 그 말을 뱉었던가. 어쩌면 희는 그때부터 사라지고 있었을지도 모른다. 그리고 희를 그렇게 만든 건, 나일지도 모른다.

희와 함께 있는 시간은 고요하고 안정적이었다. 빼빼 마른 날개뼈를 쓰다듬으며 내려앉은 검은 머리칼에 코를 박고 샴푸 냄새를 맡았다. 드르륵, 드르륵, 소름 끼치는 소리로 고민하는 희를 품에 안으면, 알았다는 듯 대답 대신 소리를 멈췄다. 손끝으로 흩어지는 생머리가 가늘게 이어지고 있는 희의 생명선 같았다. 잔뜩 입에 쑤셔 넣고 삼키고 싶었다. 희의 머리카락도, 희의 심장도, 그렇게 전부 내가 삼켜 버리면 희는 더 이상 죽을 생각도, 시도 때도 없이 동백꽃을 피울 필요도 없다고

날개뼈에서부터 어깨까지 베어 물었다. 희의 바디워시는 코코넛 향인데 한 입씩 물어서 맛볼 때는 청포도 맛이 났다.

"아파."

"스스로 내는 건 안 아프고 내가 하는 건 아파?"

지워질 생각이 없는 어깨의 실선을 만지며 툴툴거리자, 희는 푸스스 웃었다. 얕게 퍼지는 미성이 좋았다. 벌어진 손목도 맛보고, 앙상한 복숭아뼈도 맛보며, 그렇게 희를 재웠다. 그렇게 하면 희는 수면제를 먹지 않아도 됐으니까. 내가 희를 조금씩 조금씩 갉아 먹을 때마다 희의 수면제 투여량은 하나씩 줄어들었다. 비로소

내가 희를 살린다는 생각이 들었다.

"희, 우리 오키나와에 갈까?"

"갑자기?"

"1~4월에 오키나와를 가면 바다에서 혹등고래랑 수영할 수 있대."

"그래. 나 수영은 할 줄 모르니까, 내 옆에 꼭 붙어 있어."

그런 미래를 그렸다. 남들이 다 갖는 낙원을 하나 정하고, 둘이 함께 손을 잡은 채 우리의 낙원으로 도착하는 미래. 특별한 것 없다는 희에게 특별한 것을 만들어 주고 싶다는 강박과 희망. 이미 나는 희에게 특별한 존재임을 확신하면서 나오는 오만함. 조각조각 단편으로 남은 희의 기억 속 단 한 순간도 희의 표정이 기억나지 않는다. 그저 희의 듣기 좋은 웃음소리와 앙상한 뼈만 기억날 뿐이었다. 웃음소리를 내며 울었는지, 표정을 짓지 않았는지, 그것조차 알지 못한다. 표정은 하나도 기억나지 않는데, 나에게 사랑한다고 속삭이는 목소리만은 선명하게 기억하고 있다.

"사랑해."

하지만, 여전히 표정은 기억나지 않는다. 사랑을 뱉던 표정까지도.

무엇 때문에 죽고 싶어 했는지 잘 알고 있었지만 모르는 척했다. 나 때문에 죽는 것만 아니면 된다고 생각했다. 희의 몸이 더 말라가고, 목에서 쇳소리가 나는 걸 알고 있었지만, 그럼에도 희는 나를 사랑했고 내 곁에 존재했으니, 그것으로 됐다고 생각했다.

이기적으로 희를 사랑했고 동시에 두려워했다. 희를 사랑하는 만큼 희의 목숨이 위태로운 만큼 희를 죽이는 게 내가 될 수도 있다는 생각. 희에게 가장 사랑받는 사람은 나였고, 가장 원망받는 사람도 나였다. 희는 나로 인해 살아가고 있었고, 나 때문에 죽을 수도 있는 사람이었다.

어깨에 기대오는 희의 작은 머리통이 점차 크게 느껴졌다. 희의 목숨은 내 것이고 나의 목숨도 희의 것인데. 자잘하게 입술을 씹으면서 오키나와 항공권을 보는 희를 바라봤다. 사랑스러움과 공포감이 동시에 차올랐다.

도망치고 싶었다. 알 수 없이 차오르는 이 감정에서, 그리고 희의 죽음에서.

숨통이 조금 트여 있는 희에게서 이제 내가 사라져주면 더 나아갈 수 있지 않을까 싶었다. 희의 앞길을 내가 사랑이라는 명목으로 막고 있는 건 아닐까. 내가 너무 희의 세상을 좁게 만든 게 아닐까.

전부 핑계였다.

희를 그만 사랑하고 싶었던 게 분명하다.

그리고 희의 죽음에 기여한 게 나라는 것도.

희의 유서가 발견됐다고 했다. 뭐든 직접 하는 걸 좋아했던 희는 유서도 수기로 적어서 반듯한 서명과 함께 좋아하던 갈색 편지 봉투 속에 넣어 두었다. 희가 그 편지 봉투를 좋아한다는 건 나만 알고 있었다. 나의 서랍장에 가득 쌓인 봉투였으니까.

유서에는 미련이 없는 담백한 말투로 가지런히 떠날 테니 축하해 줬으면 좋겠다고 적혀 있었다. 같이 죽기로 약속했던 내가 도망쳤는데 원망도 비난도 아무런 언급도 없었다.

희에게 나는 없는 사람이 됐다. 혹은, 희는 이미 사랑했던 시절의 나를 죽여서 함께 갔을지도 모르겠다.

수많은 희가 주마등처럼 떠올랐다.

처음 만났던 해맑은 희의 모습과 서로의 이름을 바꿔 부르며 별명을 지어 주던 장난스러운 희의 모습, 서럽게 울면서 숨 쉬고 싶다며 보고 싶다며 울부짖던 희의 모습, 줄담배를 피우면서 직접 캡슐을 터뜨린 담배를 내 입에 물려 주며 -우리 키스한 거야- 배시시 웃던 희의 모습. 입가에 맴도는 멘솔향과 시원한 희의 웃음.

나의 모든 희, 사라져 버린 나의 희.

끝끝내 발인 때까지 희에게서 나의 흔적은 찾을 수 없었다. 3일 내내 같은 자리에서 나의 모든 희를 떠올렸다. 누군가 말을 걸었지만, 누구인지, 무슨 말을 하는 건지 몰랐다. 희의 기억을 온전히 떠올리는 것에 집중했다.

도망자에게 허용되지 않는 것은 망각일까. 남겨진 자에게 허용되지 않는 것도 망각이다. 결국 나만 모든 걸 기억한 채 스스로 재앙에 달려든 꼴이다.

늘어지게 퍼지는 느린 찬송가에 맞춰 자리를 벗어났다. 우리 집에 있는 남은 희의 흔적을 지워야 했다.

내 집이 아닌, 우리 집.

가득 쌓인 우편함을 정리하며 돌아왔다. 어두운 방 안에서 밀린 것들을 봤다. 보험비, 관리비, 각종 고지서와 구겨진 홍보지, 그리고 갈색 봉투.

수신자도 발신자도 적혀 있지 않았지만, 알 수 있었다. 나의 몫이라는 걸. 조심스레 열어 보면 익숙한 필체가 눈에 들어왔다.
편지는 길지 않았다.
세 줄 뿐이었다.

[구태여, 나를 기억할 필요는 없다. 그대로 말미암아 나는 사랑을 깨달았고, 죽음을 소망하니, 나는 그대를 기억해도 그대는 나를 기억할 필요가 없다.]

오키나와 항공권이 들어 있었다.

여전히 죽음은 가깝고 세상에 구원은 없다
유다도 베드로도
결국은 아무도 구원받을 수 없었다